Klara & Theo

Einstein und das tote Kaninchen

Klara & Theo

Einstein
und das tote Kaninchen

Langenscheidt

Berlin · München · Wien · Zürich · New York

Leichte Krimis
für Jugendliche in drei Stufen

Einstein und das tote Kaninchen

Stufe 2

© 2004 by Langenscheidt KG, Berlin und München
Druck: Druckhaus Langenscheidt, Berlin
Printed in Germany

ISBN-13: 978-3-468-47714-0
ISBN-10: 3-468-47714-7

3. 4. 5. * 08 07 06

Die Hauptpersonen dieser Geschichte sind:

Dr. Schmidt: Lehrer, seit zwei Jahren an der Schule. Er unterrichtet Mathematik und Biologie in der Klasse 8b. Er wirkt manchmal ein bisschen komisch und altmodisch, aber er ist nett und die Schüler und Schülerinnen mögen ihn.

Einstein (Albert Neumann): 13 Jahre alt, Klasse 8b, ein Genie in Mathematik und am Computer. Außerdem liebt und züchtet er Kaninchen.

Olli (Oliver Claasen): 14 Jahre alt, Klassensprecher der 8b. Seine Hobbys: Fußball, Inline-Skaten und Musik.

Moon (Carla Nowek): 13 Jahre alt, Klasse 8b, eine supergute Detektivin. Ihre Mutter kommt aus Korea.

Herr Feldmann: Der Nachbar der Familie Neumann, er züchtet auch Kaninchen.

1

Mittwoch.

Drrrring!!!!
Der Wecker klingelt.
Einstein wacht auf.
6.30 Uhr. Früh! Sehr früh!!
Um 8.00 Uhr beginnt die Schule. Aber vorher muss
Einstein noch viel tun: aufstehen, duschen, Zähne
putzen, frühstücken, Schulsachen packen – und die
Kaninchen füttern.

„Albert! Albert, aufstehen! Beeil dich!"
Einsteins Mutter ruft aus der Küche.
Einstein gähnt und antwortet:
„Ja, ich komme!"
Langsam steigt Einstein aus dem Bett.

Albert Neumann ist 13 und ein Genie in Mathematik und am Computer. In der Klasse 8b nennen ihn
deshalb alle „Einstein".

Um sieben Uhr sitzt Einstein am Frühstückstisch. Er
lernt noch ein bisschen. In der 3. Stunde ist heute
Mathetest[1].

„Albert, ich muss jetzt los. Hier ist Salat für die Kaninchen, den hat mir Herr Feldmann gegeben – und vergiss dein Pausenbrot nicht!"

„Ist gut, Mama!"

Ich geh jetzt! Tschüs, mein Sohn!"

„Tschüs, Mama!"

7.15 Uhr.

Albert Neumann liest den Stundenplan und packt seine Schultasche:

„Deutsch, Musik, Mathe, Pause, Englisch und Sport. Wo sind meine Sportsachen? Mama? Ach, die ist ja schon weg …"

Einstein sucht weiter und findet seine Sachen im Schrank. „Da sind sie ja!"

„Jetzt fehlt nur noch das Pausenbrot."

Er stellt die Schultasche in den Flur und geht in die Küche.

„Mensch, der Salat!"

Schnell nimmt Einstein den Salat und geht zu seinen Kaninchen.

Hinter dem Haus steht ein kleines Häuschen aus Holz: der Kaninchenstall.

Den Stall hat Albert zusammen mit seinem Vater gebaut.

Albert hat neun Kaninchen.

Sein Lieblingskaninchen heißt „Mister X".

Mister X hat bei einer Ausstellung im vergangenen Jahr einen Preis gewonnen und in drei Tagen ist wieder eine Ausstellung vom Kaninchenzüchterverein.

„Guten Morgen, meine Kaninchen! Hier kommt euer Frühstück!"

Einstein legt in jeden Käfig ein kleines Salatblatt.

„Du bekommst natürlich eine große Portion. Du musst fit sein am Wochenende. Prima Vitamine!"

Einstein streichelt das weiche Fell von Mister X.

Das Kaninchen frisst den Salat. Ein Blatt, noch ein Blatt und den Rest legt Einstein in den Käfig.

„Ich muss los, mein Guter! Bis heute Mittag!"

2

7.40 Uhr.

Albert Neumann holt sein Fahrrad aus der Garage und wartet auf Olli.

Olli ist Einsteins bester Freund. Er geht auch in die Klasse 8b und ist der Klassensprecher[2]. Olli ist schon 14. In der Schule ist er nicht so gut. Er hat viele Hobbys: Fußball, Inline-Skaten und Musik. Er spielt Saxophon in einer Band.

„Morgen[3], Einstein!"

„Morgen, Olli! Hast du gelernt?"

„Na ja, geht so. Hoffentlich ist der Test nicht schwer. Hilfst du mir, wenn ich was nicht verstehe?"

„Klar! Aber wir müssen aufpassen! Du weißt ja,
Doktor Schmidt sieht alles und hört alles …"
Die beiden Freunde lachen und fahren zur Schule.

9.40 Uhr.
Die Klasse 8b schreibt den Test.
Herr Schmidt sitzt am Pult und liest ein Musikma-
gazin.

Dr. Schmidt ist schon seit zwei Jahren an der Schule. Aber manche Schüler sagen immer noch „der
Neue". Er unterrichtet Mathematik und Biologie und
ist sehr nett. Und Herr Schmidt liebt Pop-Konzerte!

„Plopp!"

Neben Einstein landet ein Papierkügelchen.

Einstein schaut zu Olli.

Olli zuckt die Schultern und deutet auf die kleine Papierkugel.

Einstein schaut zum Pult. Dr. Schmidt liest.

Dann faltet er vorsichtig das Papier auseinander:

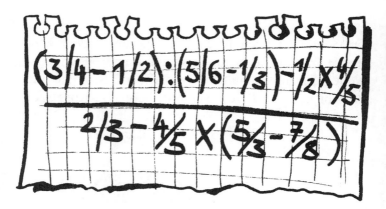

$$\frac{(3/4 - 1/2) : (5/6 - 1/3) - 1/2 \times 4/5}{2/3 - 4/5 \times (5/3 - 7/8)}$$

Schnell schreibt er die Lösung auf den Zettel und macht daraus wieder eine Kugel.

Er schaut zum Pult. Herr Schmidt liest immer noch.

Einstein zielt und wirft die Kugel zu Olli.

Daneben! Die Papierkugel landet zwei Meter neben Ollis Bank.

Olli schaut zur Kugel. Er überlegt, dann hebt er die Hand.

„Herr Schmidt, darf ich auf die Toilette?"

Herr Schmidt schaut über das Musikmagazin zu Olli, dann schaut er auf seine Uhr und sagt:

„O.k. Aber beeil dich. Es sind nur noch zehn Minuten Zeit."

„Danke, Herr Schmidt!"

Olli läuft aus dem Klassenzimmer.

Auf der Toilette packt er einen Kaugummi aus und steckt ihn in den Mund. Schnell kaut er ein paar Mal darauf herum. Dann klebt er den Kaugummi unter seinen rechten Schuh und geht vorsichtig zurück ins Klassenzimmer.

Auf dem Weg zu seiner Bank tritt er genau auf die Papierkugel.

Treffer!

Er schaut zu Einstein und nickt.

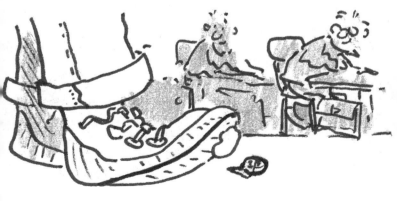

3

„Danke, Einstein! Das war knapp!"

„Klasse Idee mit dem Kaugummi!"

Die Freunde stehen im Pausenhof und sprechen über den Mathetest.

„Hast du alles?"

„Ich denke schon. Hoffentlich wird es eine Drei, dann hab ich dieses Schuljahr geschafft!"

Einstein seufzt: „Ach, Olli ..."

Olli lacht und fragt Einstein:

„Kommst du heute Nachmittag?"

„Klar! Ich fahre nur schnell nach Hause zum Mittagessen. Dann mache ich die Englischhausaufgaben und dann komme ich."

„Englisch?"

„Ja, wir haben eine Menge Hausaufgaben!"

„Bringst du sie mit?"

Einstein seufzt wieder: „... o.k."

„Ding-dong!" Die Pause ist zu Ende.

„Wie war der Mathetest?"

„Kein Problem! Die Tests von Herrn Schmidt sind immer sehr fair."

Einstein dreht eine Nudel auf die Gabel. Heute Mittag gibt es sein Lieblingsessen: „Spaghetti bolognese". Dann erzählt er die Geschichte mit dem Spickzettel[4].

„Mama, hast du die Kaninchen rausgelassen?"

„Ja, die sind auf der Wiese vor dem Stall."

„Danke!"

Nach dem Essen geht Einstein in sein Zimmer.
Zuerst schaltet er seine Stereoanlage an, legt eine
CD ein und dreht auf volle Lautstärke:
Metallica!
Minutenlang hüpft er durch sein Zimmer und spielt
Luftgitarre.

„Ah, das tut gut!"
Einstein dreht die Anlage leise und macht seine Eng-
lischhausaufgabe.

„Mama, ich geh jetzt zu Olli!"

„Komm nicht zu spät. Um sieben Uhr gibt es Abendessen. Papa will grillen ..."

Auf dem Weg zur Garage schaut Einstein beim Kaninchenstall vorbei.

Acht Kaninchen sind auf der Wiese.

„Mister X! Wo ist denn mein Champion[5]? Mister X?"

Albert geht zum Stall und öffnet die Klappe.

Mister X liegt im Stroh.

„Mister X, was ist los? Draußen scheint die Sonne und du schläfst im Stall? Bist du krank? Mister X ...?"

Aber Mister X antwortet nicht. Mister X ist tot.

4

„Komm, Albert, iss noch eine Wurst."

Der Vater steht am Grill.

„Nein, ich hab keinen Hunger!"

„Dann iss wenigstens etwas Salat", sagt die Mutter.

„Nein, Salat auf gar keinen Fall ..."

Albert wischt sich die Augen und jammert:

„Ausgerechnet mein Lieblingskaninchen, mein Champion. Und am Samstag ist die Ausstellung ..."

„So was passiert schon mal. Mir tut es auch Leid …",
tröstet die Mutter.
„An der Sache ist doch was faul[6]. Mister X ist nicht
einfach so gestorben. Da steckt etwas dahinter[7]!"

„Hast du einen Verdacht?"

Der Vater bringt einen Teller mit Würstchen.

„Vielleicht war es der Nachbar!"

„Herr Feldmann? Du spinnst!"

„Aber Herr Feldmann züchtet auch Kaninchen. Und er war letztes Mal richtig sauer, als Mister X den 1. Preis beim Wettbewerb gewonnen hat!"

„Albert! Das ist ein schlimmer Verdacht! Du glaubst wirklich, Herr Feldmann …"

„… hat Mister X ermordet!"

„Albert!"

„Und wie?", fragt der Vater.

„Ich weiß es nicht."

„Ist das Kaninchen verletzt?"

„Nein."

„Hm, wie dann?"

„Das find ich noch raus …"

Donnerstag.

„Hallo, Einstein, warum bist du gestern nicht ge-
kommen?"
„Es ging nicht …"
„He, was ist los? Du siehst ja aus wie deine Kanin-
chen! Ganz rote Augen …"
„Blödmann!"
Olli stellt sein Fahrrad an den Gartenzaun. „Nun sag
schon, was ist los, Einstein?"
Einstein wischt sich die Augen und erzählt die Ge-
schichte vom toten Mister X.

Olli überlegt und hat eine Idee:
„Das ist ein Fall für Moon!"
„Meinst du?", fragt Einstein.
„Ja! Klar! Moon ist die beste Detektivin, die ich
kenne. Wir reden in der Pause mit ihr. Aber jetzt
komm, wir müssen los."
In der dritten Stunde ist Mathe.
Dr. Schmidt gibt den Test zurück.
„Ines, das ist die beste Arbeit! Kein einziger Fehler,
prima!"
„Gute Arbeit, Moon!"
Dann geht er zu Einstein.
„Tja, Albert, schade! Komm doch nach der Stunde
kurz zu mir."
Die Mathestunde dauert ewig.

Herr Schmidt bespricht die Testaufgaben.
Einstein kann sich nicht konzentrieren. Er denkt nur
an sein totes Kaninchen.
Endlich ist die Stunde zu Ende.
Pause.

„Mensch, ich hab eine Drei, cool! Komm, Einstein,
jetzt sprechen wir mit Moon."
Olli zieht Einstein am Arm zur Tür.
„Albert! Warte mal, bitte!", ruft Dr. Schmidt.
„Ich komme gleich, Olli."
Langsam geht Einstein zum Pult.
„Du hast einen dummen Fehler gemacht, Albert.
Und Olli hat genau den gleichen Fehler gemacht.
Aber Olli sitzt zwei Bänke neben dir. Ist das nicht
ein bisschen merkwürdig?"
„Es ist mir egal", antwortet Einstein leise.
„Es ist dir egal? Du bist der Beste in Mathe, machst
nie einen Fehler und jetzt ist es dir egal?"
„Genau!"
Herr Schmidt packt sein Pausenbrot aus und be-
trachtet Einstein.
„Ärger?"
„Hmmh …"
„Kann ich dir helfen?"
Einstein erzählt die Geschichte vom toten Ka-
ninchen.

„Mensch, wo warst du denn so lange?", ruft Olli ungeduldig, „Moon und ich warten hier schon ewig auf dich!"

Moon geht auch in die Klasse 8b. Ihre Mutter kommt aus Korea, ihr Vater aus Deutschland. Weil sie ein rundes Gesicht hat, heißt sie bei allen „Moon".

Anfangs hat sie der Spitzname[8] geärgert, aber jetzt findet sie ihn cool. Nur ihre Eltern nennen sie noch „Carla" – besonders, wenn es Ärger gibt.

„Olli hat mir schon alles erzählt. Wo ist das tote Kaninchen denn jetzt?"

„Zu Hause. Ich will es heute nach der Schule begraben …"

„Nein! Auf gar keinen Fall! Das tote Kaninchen ist ein wichtiges Beweismittel!"

„Herr Schmidt!?"

„Entschuldigung, ich will nicht stören. Albert, vielleicht kann dir mein Freund helfen, er ist Tierarzt. Er könnte das Kaninchen untersuchen. Wenn du möchtest, ruf ich ihn an und du bringst es zu dieser Adresse."

Herr Schmidt gibt Einstein einen Zettel.

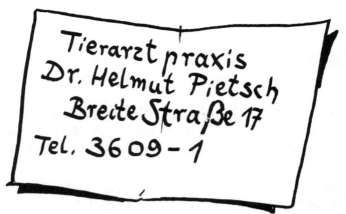

„Wir kommen mit!", sagt Moon.

„Wo treffen wir uns?"

„Um halb drei bei mir?"

„O.k. Mist, nur noch zehn Minuten Pause! Einstein, kannst du mir deine Englisch-Hausaufgabe geben?"

„Ach Olli …"

Vorsichtig packt Einstein das Kaninchen in einen Karton. Dann fahren Olli, Moon und Einstein zum Tierarzt.

„Hier ist es!", ruft Olli und hält vor der Praxis. Die drei stellen ihre Fahrräder ab und klingeln. Ein Mann in einem weißen Mantel öffnet die Tür.

„Guten Tag, wir bringen das Kaninchen …"

„Ah, ja. Ich weiß schon … Das mit dem Kaninchen tut mir Leid, aber vielleicht finde ich ja etwas heraus."

„Können wir warten?"

„Nein, das dauert zu lange. Heute Abend weiß ich

mehr. Ich sag eurem Lehrer Bescheid."
„O.k. Dann tschüs! Und danke!"
Der Tierarzt nimmt den Karton und schließt die Tür.

„Und? Was machen wir jetzt?", fragt Olli.
„Warten!", antwortet Moon.

7

Freitag.

„Kommt nach dem Unterricht zu mir", hat Herr
Schmidt gesagt. Einstein kann es kaum erwarten. Er
ist unkonzentriert und sieht dauernd auf die Uhr. Der
Vormittag nimmt kein Ende. Endlich ist die letzte
Stunde vorbei und die drei Freunde laufen zum Bio-
logieraum.

„Kommt rein und setzt euch."
Herr Schmidt macht ein ernstes Gesicht.
„E 605!"
„Wie bitte?"
„Ich verstehe nur Bahnhof[9]."
„Was bedeutet das, Herr Schmidt?"
„E 605 ist ein Pflanzenschutzmittel, ein Gift. Mister
X wurde vergiftet."
„Der Salat!", ruft Einstein aufgeregt.
Alle schauen ihn ratlos an.
„Ich habe es gewusst! Der Salat! Herr Feldmann ist

der Mörder! Mörder! Mörder! …"
„Albert, beruhige dich wieder. Erzähl bitte der Reihe nach."

Und Albert erzählt:
„Herr Feldmann ist Kaninchenzüchter und unser Nachbar. Er züchtet schon lange und hat schon viele Preise gewonnen. Vor zwei Jahren hat er mir mein erstes Kaninchen geschenkt. Und seitdem züchte ich auch. Sogar mit Erfolg, letztes Jahr habe ich nämlich mit Mister X den ersten Preis in unserem Verein gewonnen. Ich glaube, Herrn Feldmann hat das ein bisschen geärgert. Auf jeden Fall hat er meiner Mutter vorgestern ganz viel Salat für meine Kaninchen gegeben. Als ich sie gefüttert

24

habe, hat Mister X eine besonders große Portion
bekommen. Und mittags war er tot. Er hat den
Salat bestimmt vergiftet, damit Mister X morgen
nicht gewinnt!"
„Was ist morgen?", fragt Moon.
„Morgen ist die große Ausstellung vom Kaninchen-
zuchtverein. Da werden die schönsten Kaninchen
prämiert und bekommen Preise. Mister X hätte be-
stimmt gewonnen …"
„Wir brauchen Beweise! Hast du noch was von dem
Salat, Einstein?", fragt Olli.
„Nein. Mister X hat alles aufgefressen", sagt Ein-
stein traurig.
„Das ist ein Fall für uns! Ich habe eine Idee!", ruft
Moon dazwischen.

„Bist du auch ganz sicher, dass er nicht kommt?"
„Ja, um diese Zeit sitzt er vor dem Fernseher", antwortet Einstein.
„Pscht! Leise! Seid leise!", flüstert Moon.
Die drei Freunde klettern über den Zaun und schleichen sich zum Kaninchenstall von Herrn Feldmann.
„Ihr sucht im Stall und ich suche in der Werkstatt. Jede Flasche ist verdächtig! Wir treffen uns in einer halben Stunde an dieser Stelle wieder!"
Moon läuft zur Werkstatt. Olli und Einstein suchen im Kaninchenstall.

Eine halbe Stunde später.
„Und? Habt ihr was gefunden?"
„Nein, nichts! Im Stall ist nichts, keine einzige Flasche. Nur Kaninchen, Stroh und ein Sack mit Kraftfutter", antwortet Olli.
„Und in der Werkstatt?", fragt Einstein.
„Auch nichts! Jedenfalls keine verdächtige Flasche mit Gift."
„Fehlanzeige[10]! Herr Feldmann ist wohl doch nicht der Kaninchenmörder", Olli ist enttäuscht.
„Das glaube ich auch …", sagt Moon. „Du hast dich geirrt, Einstein!"
„Aber wieso? Ich versteh das nicht – er hat meiner Mutter doch den Salat gegeben!"
„Siehst du hier irgendwo Salat?", fragt Moon.
Die drei sehen in den Garten. Es gibt alles, nur keinen Salat.

8

Samstag.

9.45 Uhr.
Die drei Freunde stehen vor dem Vereinsheim. An der Tür ist ein Plakat:

„Wo bleibt denn Schmidt? Gleich geht's los!"
„Na endlich, da hinten kommt er ja!"
„Guten Morgen! Entschuldigt bitte die Verspätung, ich war gestern auf einem Konzert …"
„Das erzählen Sie uns später, Herr Schmidt. Es geht gleich los!", unterbricht Moon.
„Ihr wisst, was ihr zu tun habt, Männer?", Moon lacht und sie gehen hinein.

Im Saal sind viele Leute: Kaninchenzüchter, Besucher, Kinder und eine Jury.

Auf den Tischen stehen Kaninchenkäfige.

Die Jury geht von Tisch zu Tisch und macht Notizen. Einstein sieht sich die Kaninchen an. Er ist traurig. Moon spricht mit dem Vereinspräsidenten. Herr Schmidt beobachtet Herrn Feldmann. Olli steht am Ausgang. In der Hand hat er sein Handy[11].

Nach einer Stunde geht der Vereinspräsident zum Mikrophon.

„Sehr verehrte Damen und Herren! Liebe Mitglieder! Es ist mir eine große Freude, dass ich jetzt die Sieger ankündigen darf. Den ersten Preis erhält dieses Jahr unser Vereinsmitglied und alter Freund, Anton Feldmann! Ich bitte um Applaus! Anton, kommst du bitte? …"

Anton Feldmann geht zum Mikrophon. Der Präsident gibt ihm einen Pokal und eine Urkunde.

Die Leute applaudieren.

„Den zweiten Preis erhält dieses Jahr Max Fischer …"

Anton Feldmann geht zurück zu seinem Tisch. Stolz stellt er den Pokal neben den Käfig.

„Ohne Konkurrenz wird man leicht Sieger!"

„Wie bitte? Was meinen Sie? Wer sind Sie?"

„Wie ich gesagt habe: Ohne Konkurrenz wird man leicht Sieger! Ich könnte auch sagen, wenn man die Konkurrenz vergiftet, wird man leicht Sieger!"

„Vergiftet? Wer hat wen vergiftet? Gehen Sie, lassen Sie mich in Ruhe …"

Aber Herr Schmidt geht nicht, sondern erzählt Anton Feldmann die traurige Geschichte vom toten Mister X.

„Um Himmels willen! Das wusste ich nicht! Ich habe überhaupt keinen Salat, der war ein Geschenk von Max. Ich füttere meine Kaninchen nur mit Kraftfutter. Deshalb habe ich ihn Frau Neumann gegeben. Max kann das bestimmt aufklären. Dort sitzt er!"

Anton Feldmann zeigt zum Tisch von Max Fischer.

Aber Max Fischer ist weg.

Am Eingang steht Moon und winkt.

„Kommen Sie!" Eilig läuft Herr Schmidt zum Ausgang.

„Da drüben!", ruft Moon.

Herr Schmidt, Moon und Herr Feldmann laufen zum Parkplatz.

Ein wütender Mann steht an seinem Auto und schimpft. Alle Reifen sind platt.

„Ich hab die Flasche! Sie war im Auto!", ruft Olli und hält eine kleine Flasche in die Luft.

„Max, kannst du das bitte erklären!?", sagt Anton Feldmann.

„Ich wusste ja, Moon ist die beste Detektivin, die ich kenne!", lacht Olli.

„Wie hast du das rausgefunden?" Einstein ist immer noch ratlos.

„Ganz einfach: Ich habe den Präsidenten gefragt, wer in den letzten Jahren gewonnen hat und wer nur Zweiter war. Die Zweiten wollen halt auch mal die Ersten sein."

„Mit allen Mitteln!", ergänzt Olli.

„Der arme Mister X!", seufzt Einstein, „nur gut, dass ich das Grünzeug nicht mag."

ENDE

Landeskundliche Anmerkungen/Glossar

[1]   der *Mathetest*: Mathe = kurz für Mathematik. Ein Test ist eine Prüfung, die Schüler in regelmäßigen Abständen in den Schulfächern schreiben müssen.

[2]   der/die *Klassensprecher/in*: Der Klassensprecher wird von der Klasse gewählt und vertritt die Interessen seiner Schulklasse gegenüber den Lehrern/Lehrerinnen und der Schule.

[3]   *Morgen*: kurz für „Guten Morgen!"

[4]   der *Spickzettel*: Zettel mit Notizen als heimliche und unerlaubte Hilfe bei Tests und Prüfungen

[5]   der *Champion*: englisch, Gewinner eines Wettbewerbs/Wettkampfs, vor allem im Sport

[6]   *„an der Sache ist was faul"*: Redewendung, wenn man vermutet, dass bei einer Sache etwas nicht stimmt/nicht korrekt ist

[7]   *„Da steckt etwas dahinter!"*: Redewendung, wenn man vermutet, dass eine Sache noch andere Aspekte hat, die man aber noch nicht kennt, z. B. wenn eine Person, die nie freundlich war, plötzlich sehr freundlich ist.

[8] der *Spitzname*: nicht der wirkliche Name, entsteht oft im Scherz und beschreibt meist etwas Charakteristisches einer Person, hier z. B. „Einstein" und „Moon"

[9] *„nur Bahnhof verstehen"*: Redewendung, mit der man sagen will, dass man nichts versteht/verstanden hat

[10] *Fehlanzeige!*: Redewendung, wenn etwas, was man erwartet hat, nicht eingetroffen ist

[11] das *Handy*: das Mobiltelefon

Aufgaben, Übungen und Tests

A. Lies noch einmal Kapitel 1.

1. Warum hat Albert den Spitznamen „Einstein"?
   Kreuze an:

   ☐ Einstein ist der Familienname von Albert.

   ☐ Einstein sieht dem echten Einstein ähnlich.

   ☐ Einstein ist ein Genie in Mathe.

2. Albert lernt beim Frühstück, denn die Klasse
   schreibt einen

   ☐ *Deutschtest*

   ☐ *Mathetest*

   ☐ *Englischtest*

3. Albert „Einstein" züchtet Tiere. Was für welche?
   Kreuze an:

   ☐ Katzen

   ☐ Hunde

   ☐ Kaninchen

   ☐ Pferde

4. Wie heißt sein Lieblingskaninchen?

---

5. Warum liebt er Mister X besonders?

B. Lies noch einmal Kapitel 2.

1. Einsteins bester Freund heißt Olli. Was weißt du über Olli?

   – *Olli ist schon 14.*

   –

   –

   –

   –

   –

   –

2. Beschreibe deinen besten Freund / deine beste Freundin.

— Er/Sie heißt _____

— _____

— _____

— _____

— _____

3. Was ist falsch?

☐ Dr. Schmidt ist schon seit 10 Jahren an der Schule und die Schüler sagen „der Alte".

☐ Herr Schmidt unterrichtet Mathematik, Sport und Englisch.

☐ Herr Schmidt ist nicht so nett, Musik mag er auch nicht. Vor allem keine Pop-Musik.

C. Zu Kapitel 3

Der Spickzettel fällt auf den Boden. Wie holt Olli den Spickzettel?

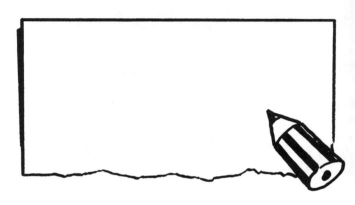

D. Zu Kapitel 4

Einstein findet Mister X tot im Stall. Er glaubt, dass Herr Feldmann, sein Nachbar, das Kaninchen ermordet hat. Warum?

a) weil ....

b) weil ....

c) weil ....

E. Zu Kapitel 5

Herr Schmidt gibt den Mathetest zurück. Was findet er merkwürdig?

F. Zu Kapitel 7

1. Ein Freund von Dr. Schmidt, ein Tierarzt, untersucht das tote Kaninchen. Was findet er heraus? Kreuze an:

☐ Das Kaninchen war alt und ist einfach gestorben.

☐ Das Kaninchen hat zu viel Salat gefressen und wurde krank.

☐ Das Kaninchen wurde vergiftet.

2. Was erzählt Albert seinen Freunden und Herrn Schmidt? Ergänze die Lücken.

> ganz viel Salat   geärgert   viele Preise
> gefüttert   tot   ersten Preis
> vergiftet   geschenkt   Erfolg
> Kaninchenzüchter

„Herr Feldmann ist _____ und unser Nachbar. Er züchtet schon lange und hat schon _____ gewonnen. Vor zwei Jahren hat er mir mein erstes Kaninchen _____. Und seitdem züchte ich auch. Sogar mit _____, letztes Jahr habe ich nämlich mit Mister X den _____ in unserem Verein gewonnen. Ich glaube, Herrn Feldmann hat das ein bisschen _____. Auf jeden Fall hat er meiner Mutter vorgestern _____ für meine Kaninchen gegeben. Als ich sie _____ habe, hat Mister X eine besonders große Portion bekommen. Und mittags war er _____. Er hat den Salat bestimmt _____ , damit Mister X morgen nicht gewinnt!"

3. Einstein, Olli und Moon gehen heimlich zum Kaninchenstall von Herrn Feldmann. Was suchen sie dort?

Sie suchen _____

_____

G. Lies noch einmal Kapitel 8.

1. Wer gewinnt bei der Kaninchenschau?

   1. Preis: _____

   2. Preis: _____

2. Warum musste Mister X wirklich sterben?

Übersicht über die in dieser Reihe erschienenen Bände:

Stufe 1
Der Super-Star   40 Seiten   Bestell-Nr. **47718**

Stufe 2
Einstein und das   40 Seiten   Bestell-Nr. **47714**
tote Kaninchen

Kommissar   40 Seiten   Bestell-Nr. **47715**
Zufall

Das letzte   40 Seiten   Bestell-Nr. **47716**
Hindernis

Stufe 3
Anna   40 Seiten   Bestell-Nr. **47717**